The Wonderful World of Sazae-san

The Wonderful World of Sazae-san

対訳：サザエさん

④

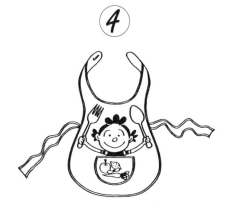

Machiko Hasegawa

長谷川町子

KODANSHA INTERNATIONAL
Tokyo • New York • London

Translation by Jules Young , Dominic Young

Distributed in the United States by Kodansha America, Inc., 114 Fifth Avenue, New York, N.Y. 10011, and in the United Kingdom and continental Europe by Kodansha Europe Ltd., 95 Aldwych, London WC2B 4JF.
Published by Kodansha International Ltd., 17-14 Otowa 1-chome, Bunkyo-ku, Tokyo 112, and Kodansha America, Inc.

First edition, 1997
ISBN 4-7700-2149-6
97 98 99 00 10 9 8 7 6 5 4 3 2 1

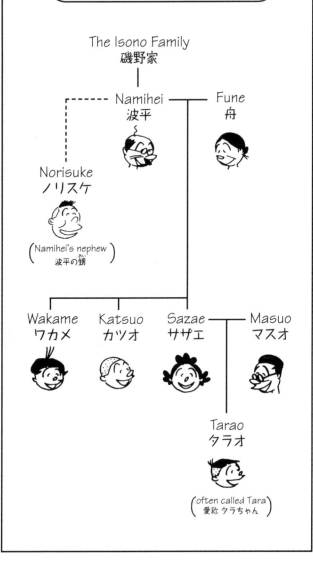

このアリ
どこにいくの

社会科の
べんきょうだ
ついていって
ごらん

* In elementary schools, ants and bees are studied as good examples of social organization.

あつい……

そこのフスマ
あけてくれ

はーい

サザエッ

パパ あたしが
どうかして？

* Sazae is mending a *tabi*, a white cotton sock that is worn with traditional Japanese clothing.

きがくさくさする

すし
おでん

君客にこんな

ふけつなものを

食品衛生検査車

---

* *Oden* is a stew made with many ingredients that is popular in winter, and is often eaten as a snack to accompany saké. It is also sold at yatai (movable stalls).

エプロン

水害地におくったわ

チョコレートがはいってた

* Sazae is carrying a handful of incense sticks, which are lit and placed on the graves of one's ancestors.

ワッ

カツオ!!

* This Buddhist rosary (juzu) is used when praying.

パス

うしの日

かば焼

うしの日

---

* The Day of the Ox, which falls in mid-July, is considered the hottest day of the year. Eels are eaten for stamina against the heat.

いらっしゃい
まし！

かば焼

カツオごはんよ

カツオ……

カツオ ごはん
ここに おくよ

ア、そうだ めしを
くいかけてたん
だった

It doesn't look like it's going to stop, does it?

It doesn't.

なかなかやみそう
もありませんねェ

はあ

What's your hobby?

I'd have to say the movies.

ごしゅみは？

やはりえいが
ですわ

Uncle Norisuke! You're back!

Er... Hello.

ノリスケおじさん
おかえり！

ただいま

これワカメちゃんの入学(にゅうがく)のおいわい

とんでもない

マア、きれいなぶんぼうぐだこと

ワカメ おれいはどうしたの?

ランドセルをもってこなかったらかってあげるといったね、かあさん

---

* When children start elementary school, they are given a set of pencils and stationery as well as a leather backpack, called a randoseru.

ただいま

おかえんなさい
おそかったわね！

すみません
なんせおばさんが
きとくだったので

おばって私じゃ
ないか、えんぎ
でもない

しまった
あれは部長にい
うんだった

① 左のほうをごらん
くださいませ……

観光バス

② 右手にみえます
のが……

みなさま
ちょっとうしろを
おむきください

五つください

うみたて玉子

ピヨピヨピヨピヨ
ピヨピヨ

一、二……三……

ピヨピヨピヨピヨ
ピヨピヨ

ここから
でたんだよ

ピヨピヨピヨピヨ
ピヨピヨ

15円

ソラ、こないだ
の会社の花見の
しゃしんだよ

あー、くらくて
わかりゃしない

* In the spring, when cherry trees are in full bloom, parties are held under the trees so people can admire the blossoms while eating and drinking.

タラちゃん！

マアマア
こどもの日だから

今日まで
ためておいたの

* Children's Day is celebrated on May 5.

どうもからだが
だるくて

かっけかもしれ
ませんな

おじいちゃんの
カタキだ

チェッ
またやられた！

さっきから
あの大ざる
ばかり**カシ**を
とっちまう！

そらッ 子ざる
うまくとれよっ

さっきから
ごじぶんばかり
えをやって

オカシなくなった
じゃありません
の！

中華

ついゆうわく
をかんじる

生ビール

---

* Many neighborhood restaurants deliver food to households in their area.

アマチュア
水着さつえい
コンクール

水着ですって

ほほー水着ですか

受付

お三人ともカメラ
をおわすれなんで
すね

ご主人がマヌス島
からおかえりです
って!!

ハア

わーっ

おんおんおん

パチリ

よろこびに泣く
るす家族

---

* The largest of the Admiralty Islands, north of Papua New Guinea. It was seized by the Japanese in 1942, captured by Allied forces in 1944, and was taken over by Australia in 1947.

さあどうぞ おあ
がりあそばして

ハ どうも

さアおくへどうぞ

さ どうぞ

* Firework displays are held in many places in July and August, and second-floor
verandas, where the laundry is hung, provide good viewing spots.

山にキャンプに
いくんだ かして
くれ たのむよ

だいじにつかって
くれよ

これで山にいける

質店

あの人ハンドルを
わすれていった
わ!!

しまった、きのど
くなことしたな

毎日おかりした
ポータブルをかけ
てたのしんでいま
す

えほん

いい月<ruby>月<rt>つき</rt></ruby>！

うさぎはどうなるの？

うさぎどうなるの？

* Whereas Westerners see "a man" in the moon, the Japanese see a rabbit pounding glutinous rice with a mallet to make rice cakes (as shown in the first frame).

Kids these days don't get scared at all!*

このごろのこども は ちっともこわ がらんわい

In the summer, children are told ghost stories in the belief that the chilling tales will make them feel cooler.

あなた それじゃ
みっともないわよ

うりち
売地

* Traditional casual attire for summer is the yukata, a cotton kimono tied with a sash.

おや まぎれこん
できた

トウトウトウ

このせつは義理も
人情もわからん

まったくね

ワーン

やりなおしだ

パチパチパチパチ
パチパチ

パチパチパチパチ
パチ

イソノ こんな
やさしいもんだい
がとけんのか

たっておれ！

なくのおよしね

ねえ、お父<ruby>父<rt>とう</rt></ruby>さん
さんすうの<ruby>問題<rt>もんだい</rt></ruby>
とけた？

じゃ今日は
いそぎますから

またいずれ

あなたこどもたち
がかえってきまし
たよ

そうかそうか

アおとうさんだよ

ねたふりしよう

ねてる ねてる
かわいいもんだ
なア…こっちを
むかないかしら

---

* Houses today are equipped with screens to keep mosquitoes out, but in the past people used to sleep under mosquito nets.

わらいがおが
みたいなぁ

③

④

①

こわい

②

だいじょうぶ！

おあがり

ワン

①

②

マンガ？

うん

コンコン

マンガ

③

コンコン

④

ただいま〜

なんです
この子は！
ほうりだす人が
ありますか！

ずるいよ

すみません

すみません

それは
しぶ<ruby>柿<rt>がき</rt></ruby>ですのじゃ

ごしんせつにあり
がとうございます

ぜいぜいぜい

大臣 車中談を

大臣 ひとこと

大臣 一枚

大臣 わらって

きみはなんだ

通りすがりのものです

真珠とりの海女
だな

サンキュー
それです

* Women pearl divers, or ama, can still be seen in certain areas of the Pacific and Japan Sea coasts of central Japan.

どこよ

どれェ？

* The fall sports meet, or *undokai*, is one of the highlights of the school year. All students participate in well-rehearsed games, athletic displays, and dances.

デンシャのよこか
らバスがぶっつか
ったんだ

皇太子さまのお通
りにあったわ

では おしらべ
ください

¥100

つつみは？

いまお金<ruby>金<rt>かね</rt></ruby>をくずし
てあげたんじゃな
いですか

ずうずうしい

しっけい

キ~キ~

たてつけのわるい
戸だ！

勝手口

プッ

いま なおしたと
こだよ

まってくれ
トリモチが
くっついたら
かなわん

* Birdlime is a sticky substance that children used to spread on sticks to catch insects and small birds.

● 67

じゃしっけい
ハハハハ

ホホホホ…

ハハハハ　ハハ
ハハ

あなた こんなに
めしあがって た
いがいになさいよ

しっけいぼうしを
わすれちゃって

ハハハハ

ホホホホ……

ハハハハ　ハハハ
ハハ

ボクのは七九八
平方キロメートル

ボクの答は七二
六平方キロメー
トルだよ

おかしいなァ

もういっぺん
よーくけいさん
してごらんよ

アッ

どうも どうも
あいすみません

そそっかしい
きょりを
はかってもわかる
じゃないか

おかけなさい

おそれいります

まずかった

You just can't stop eating peanuts.

あ、らっかせい
たべだすと きり
がないわ

とんだながいを
いたしまして

またどうぞ おで
かけくださいませ

プツン

......
......
**さあ
めしだめしだ！**

ころんで
けがしたの

勝手口

たてないよう

オキシフル

読書週間
どくしょしゅうかん

はい、スリラー
物もってきたよ
もの

だいすきなんだ！
ありがとう

まんきつしてこ
よう

うちの犬 捨ねこ
の子をそだててる
んですのよ

これ
おねがいします

ニャ〜ニャ〜

できたぞー

ごくろうさまで
した

立たされてるん
だって？

なにをしたんだい

チェッやだなぁ
また**ウドン**か!!

あなたもよッ！

おさむいですか
ら そのまま

しかし

どうかそのまま

どうかどうか

では

このままで
しつれいします
ホホホホホホ

* The padded coat (dotera) on Sazae is commonly worn indoors on cold winter days.

ごめんください

いらっしゃいませ

おうち だれも
いないの？

あたいだけなの

おじさんが
おかしあげよう

いただきます

一人のとき、しら
ない人になれなれ
しくしちゃいけな
いといったでしょ

クリスマスに
天使の役をやるん
ですって

まア
まるでほんもの
そっくりだね

She's playing an angel in the Christmas show.

She looks like a real angel, doesn't she?

しゅう金だって

洋服やさん？
いまみんなるす
といってよ

あ、そう、
じゃまたね

パチンコでもら
ったキャラメル
あげるよ

ありがとう!!

おかあさんに
みせてきます

♪♪♪♪♪

* Pachinko is a Japanese pinball game in which the balls won can be exchanged for goods.

おそいわねえ

みちくさしてた
んでしょ！

ちがうよ

はいロウソク

たき火にあたっ
てたねッ

たいへんな人

美容室

オヤ
あなたがお先
ですって

さいざんす
私 あのかたの
次でしたわ

しつれいな
私がこの方の
つぎざんす

ずうずうしい
私ざんす

青木くーん
おくさんからだ

ぼくは
いないよー！

じゃ もうとっく
に出ましたって
ことにするか

だんな 聞くほう
をふさいでるわよ

ただいまー
おやじおふくろ
から よろしく
いってました

おかえんなさい

おかえんなさい

ちょうどいい
ところだった

よかったわ
まってたのよ

どうせこんなこっ
たろうとおもった

---

* Large round rice cakes (kagami mochi) are displayed in homes during the New Year festivities, after which they are cut up and eaten.

ガチャン

てつだうよ

ありがとう

あれ へんなかけ
らだな

さてはわったな！

やられた！

御年賀

儀礼ずきなやつだ

ちこく ちこく

課長はまだだな、
助かった！

なかなか いい
お嬢さんじゃな
いですか

どこかいいお嫁の
口はないですかな
たのまれてるん
です

しゅみはバレエに
洋裁 生花
ピアノ えいご
スキー

ノリスケ君
きみ しゅみはな
んだい

はあ？

そうですね
ひるねと食うこと
です

よぉ
すどう君じゃな
いか

やぁ
いその君か
奇遇だったなァ

や **いりえ**さん
じゃありませんか

おめずらしいと
ころでおめにか
かりますなァ

オヤおじさんじゃ
ありませんか

おう ノリスケ君
じゃないか 丁度
いいところにきた

きゅう式な
お見合ね
あんまりぐうぜん
すぎるわよ

* In setting up arranged marriages (*omiai*), the prospective couple is given a chance to look each other over with the go-betweens in attendance. Sometimes the meeting is made to appear accidental, as here.

タイコさんが
ボクのよこがおが
いいっていうんで
すよ

わしも若いころは
これでなかなか
もてたものだ

フン どうだか

いまだって宴会
などではわしが
一ばんもてる

先じゃ頭がハゲて
るから安心するの
よ

安心するとはなん
だ、けしからん

ええ、いったが
どうしました！

もう二人ともお
やすみなさいよ

キミ けっこん
するんだって

ハア
どうかよろしく

せんぱいとして
女房そうじゅう
法を一席

けんたい期はボク
にまかせたまえ

りこんはボクだよ

---

count on　〜に頼る

ボクけっこん式は
ごくかんたんに
やりたいんです

ワカメお兄ちゃん
かえってきたか
かどまでいって
みてきておくれ

うん

たのんだよ

うん

みてくらァ

それから？

ボクはちかって
タイコさんにうそ
はいいません

結婚したら 酒も
タバコもやめます

ボクは世界一の
よき夫になりま
す！

クスクスクスクス

どうしたんだよ！

東京駅

<ruby>早<rt>はや</rt></ruby>いから<ruby>車<rt>くるま</rt></ruby>に
しましょう

ふつつかなむすこ
ですが おたのみ
しますよ

あたくしこそ！

きっとお<ruby>母<rt>かあ</rt></ruby>さんと
<ruby>気<rt>き</rt></ruby>があいますよ

オイ
まだ東京駅か！

だってあんた、
<ruby>行先<rt>いきさき</rt></ruby>いわないんで
<ruby>話<rt>はな</rt></ruby>しこんでるんだ
もの

---

get on with 　～とうまくやっていく

ちょっと仲人さんのとこにもいかんならんし

ついでに白の半えりを買ってきて

御誂

あなた区役所もまだですよ

じゃボク 今日かいしゃをやすもう

ボクも学校やすもう

オイたのむよ

100円

そこ まだだろう

百円 百円

なにするんだい

しまった、
あいつの結婚祝い
だった！

ノリスケ君
おめでとう！

ありがとう

アッ しまった

どうもすみません
でした

あいつの
モーニングなん
です

アラ
修学旅行よ！
しゅうがく りょこう

ほんとだ

あれ
しんこんりょこう
よ きっと

そうよそうよ

いよー、珍らしい
ナミノ君じゃない
か！

中学の同組でね、
そそっかしい奴
でした

きみ、前の細君と
リコンしたんだ
って！

君……

君!!

バスがきたから
しっけいする、
お子さんによろ
しく！

だれかとまちがえ
てるんですよ、あ
いつのそそっかし
さ ちっともなお
っちゃいねえや

もうボク明日から
社に出るんですよ

だってしかたが
ないわよ

だからボクはこの
アパートは近すぎ
るといったんです

じゃ あなた
言えるならいって
ごらんなさいよ
……
……

おばァちゃん
いつもお元気で
けっこうですね

もう六十九になり
ました

あら、七十四じゃ
ありません？

七十四ですよ
おばァちゃん

あんた
いまおばァちゃん
お見合やってるん
ですから

"The wind is reaching a speed of 40 meters a second..."

ついに
風速四十米に達し
ました

Dad's already somewhere close by!

I'll start getting dinner!

パパもうそのへん
までかえってきて
るわ

ごはんのしたくに
かかりましょう

この方がひろって
くださってました

マアありがとう
ございます

ぜひお礼を

いや
そのごしんぱい
はいりません

1割の謝礼をしな
ければどうしても
きがすまんそうで
す

You're also learning to appreciate pottery!

おまえもやきもの
のよさがわかって
きたな

I couldn't tell him I broke it!

わったとも
いえず……

今日はだめ！

おでん

クツ

不可抗力だ

いらっしゃーい

¥1000

あの奥さん
こわいかお
しとるのぅ

なんであぁ人相
がわるいかね

そりゃ男が持つ
べきよ

よその夫婦を
みろ！

と、こんな要領で
やってちょうだい

わかったよ

キップ二枚(まい)

キップ二枚(まい)

なにを
おっしゃる！

ま　いいからさ
あたしにださして

豪華(ごうか)三本立(さんぼんだて)

コラァ
みっけたよ、
お客さまのクツを
おかえし！

アッ
ていでん

犯人(はんにん)はえいえんの
ナゾだ

だれかマッチ
もってきてー

はい

コレッ
なんです、子供
のくせにマッチ
なんかもって！

マスオお兄ちゃん
のポケットに
はいってた

パー

---

* Bars and restaurants in Japan usually have matches with their names and addresses printed on the boxes for the purpose of advertising.

ジャンケン

ポン

はやくはやく

ひとり
一人じゃだめだ

どうぞ
おかけください

まぁ しつれいな

電報

「カネオクレタノ
ム」ですね

そうです

あけちゃいけな
いよッ

いや、さすがは
おねえさんだ

よそにまわすん
だよ、ねえ

---

* When visiting homes, it is customary to bring along a gift (*omiyage*) of cookies.

もっと左、左！

そうそう、
そっちだ

おかえんなさーい

なーにボクが病気(びょうき)をしたと思(おも)えばいいのさ

しかしデフレけいざいの展望(てんぼう)をみると

いったいなんのはなし？

まァ たったこれっぽっち！

ボーナス

* Japanese companies pay a bonus of several months' wages twice a year, every June and December.

I gave up washing in cold water this morning.

To be honest, I've given up cold rubdowns for now, too!

けさは冷水浴はやめた

じつはぼくも冷水まさつ やめてるんです

I've also given up washing my face since the day before yesterday!

ぼくもおとといから顔あらうのやめた！

奥さんからデンワ
だ 急病の友人を
送っていったと
いっといたよ

よわった
叔父貴にあって
めしをくいにいく
といったんだ

きみ 賞品の
コーヒーセットだ

賞品

病人、叔父貴、
コーヒーセット、
これをかえりつく
まで三題話にまと
めあげなきゃなら
んぞ

日本がみはいい
なァ！

フーン売地か

売地

おきのどくです
はずれました

附属小学校
試験場

くよくよすんなよ
パパ

ハハハそうだ
人生七ころび
八おきだ
胸をはって！

♪♪♪♪♪

おめでとうございます！

すこし
うかれすぎた

---

* Private elementary schools are preferred to public schools since students can go from there to prestigious high schools and universities. Competition to enter these

● 124

ボクもいれて

だめ

もうこしかける
場所ないよ

いれてね

つめてください

きふ金だせば入学
させるんだって

やだわねえ

schools is tough, hence the lottery and the preference given to children whose
parents donate money to the school.

ハンカチ
おちましたよ

ハンカチ
おちましたよ

チエの**わ**だ

パス

どれ
かしてごらんよ

そーら
どんなもんだ

あたくしの
イヤリング
ざんすけど

どのお花にしよう
かしらね

これ！

100円

バス

マア！
つけまつげが
こんなとこに！

ちわーおまちどお
さま～

えー…だからだ、
その……何（なん）だ……

気（き）がちっていかん

さきにすませま
しょう

ツルツルツル

あなた
けんやくしてね

おまたせいたし
ました

あいすみません
まちがえました

せっしょうなこと
をしやがる

ツルツルツル

梅林

ピー

きみのふいてるの
がいいそうだ

ホ〜ホケキョ

へいへい

ピー

ホ〜ホケキョ

そっちとかえて

へい
これですか

どれも同じだった
ら

ホ〜ホケキョ

なにをおだし
しようかね

お**すし**なんかどお

じゃあなたたちも
おしょうばんなさ
いよ

ハーイ

おすし三つですね

おくさまあたくし
これで失礼を

マァさようですか

坊ちゃん
さようなら

そちらは
あたしがいきます

あなたって ほん
とにずるい方ね

いやなひとね

いやァ坊ちゃん
えらいえらい
おめでとう！

ほんとうに
ざんねんで……

---

* The megaphone and sash show the man has failed in an election campaign.

あ～ん

いやだふろしき包お落しになったの

まぁ!! きれい

あたしゃ
きっぱりと
ごじたいします

ししょうが
しじゅほう章を!!
マアもったいない

きたらきっぱり
じたいするって
まちかまえてる
んですが いっ
てこないんで

ごきげんが
わるくってさ

おテル お茶!!

とちゅうから気が
かわったんだ

そうね おみそに
おしょう油……

---

* Miso (fermented soybean paste) is a basic ingredient in Japanese cooking.

This washing blew over from the house behind!

うらの
せんたくものが
とんできてます

You'd better return it.

とどけておあげ

And return what belongs inside the clothes at the same time!

ついでに**なかみ**も
とどけちゃ
どうだい

プレイガイド

芝居のキップ三枚

婦人週間

たまには芝居で
もみて　そとで
めしでもたべて
おいで

ではいってまいり
まーす

おねがいいたし
ます

だいぶうわさが
ひどいらしいぞ

ハークション
ハークション
ハークション

* The Japanese believe that when you sneeze, someone is talking about you.

おい！

おいったら！

これからなまえを
よんでいただきま
す

エート、そら、
なんとかいった
なァ
お母（かあ）さんの名前（なまえ）さ
……

---

* Many husbands do not address their wives by their names, but instead get their attention by calling "Oi," meaning something like "Hey!"

そんなこたぁ
ありませんよ
よくきれますよ

ね、どうです、
……ほら……

じゃそれを
もらうか……

うたぐりぶかい
客（きゃく）だ

ツルツル

もも太郎と金太郎
と どっちがつよ
いの

ねー どっちが
つよいの？

七百円に……

九百円か……

そりゃ金太郎が
強いだろうな

フーン

---

* Momotaro and Kintaro are two popular heroes of Japanese folk tales.

アラ 牛乳もっ
たいない

ア！
ひどい運転手だ

だんな、百円札の中に千円がまじってました

ああ はやまった

わしのこころざしの百円だ どうぞ受けてください

チェッ またまちがえてやがる

ああ、 はやまった

ホホホホ
だいじょうぶだっ
たら！

鼻_{はな}が二つ、
目_めが一つ、
耳_{みみ}が二つ、

ノリスケくん
どうしたんだ

アレ、まちがっ
ちゃった……

モシモシモシモシ
モシモシ……

* It is unusual for Japanese husbands to attend the birth of their children. They are usually given the news by telephone while at work.

母の日よ

お母さんの
よろこぶこと
してあげよう！

お母さんの1ばん
うれしいこと
なーに？

そーねー あなた
たちが病気しない
こと

でもさ、2ばんに
うれしいことは？

あなたたちが
いい子になること

3ばんめは？

あなたたちがしあ
わせになること

なーんだ みんな
ボクらのこと
ばっかりだ

アラアラ
ごめんなさい

家へかえるまで
ずっと聞いてよ

**あんたうしろ
どうしたの？**

**赤ちゃんが
オシッコかけ
たの**

あんたうしろ
どうしたの？

赤ちゃんが
オシッコかけ
たの

だめだめ今日は
いそぐんだから！

しょうがないね、
いらっしゃいよ！

果物の汁はハダを
きれいにする
美容

ミツはハダが
スベスベになる

もちろん牛乳も
美容によい

そのハエは
どうしたのよ！

すもうの実況お
とめなさいよ

タバコはどうした

ピースうりきれて
たよ

お金は？

ここにのせた

それボクの貯金箱
にいれたよ

いまおつりがなく
て そこからかり
たよ

ゆだんもすきも
ありゃしない

それは わしのい
うことだ

* "Peace" is a popular brand of cigarette.

● 153

なんてすてきな
お洋服(ようふく)?

マア!
お母(かあ)さんにぬって
いただいたんだ
って!

たいていにして
きたらどう？

いつまでもすねて
らっしゃい
かんづめあげない
から！

これ
やらないから！

カンキリ……

ねえ、
ワカメちゃん
ごめんね

ね、ね

あの年になって
虫歯が1本もない
んだって

なんでもかめるん
ですって

口もとが実に若々
しいよ　ご主人が
うらやましい

あなた
ごめんなさい
かんだとこ、まだ
いたい？

あら こまった

ちょいとごめん！

パチパチパチ

ボクきのう
酔ってどんなこと
いった？

いそのさんの
奥さんのまえで
はだかおどりやっ
たよ

ウワ〜 だいしっ
ぱいだ　今日あや
まってこなくちゃ

とても まっすぐ
いくげんきないや

やき鳥

酒

てやんでえ
オタフク、
ハハハハハハ

---

* Yakitori, or bite-sized pieces of broiled chicken on skewers, is often served as a snack to go with beer or saké. Here it is sold from a yatai (movable stall).

またきたな
しょうがねえや
あのこ

ページをくるのに
いちいちつばをつ
けやがってからに

クラブ
の友
ブック
世界

パタン

またおりじるしを
つけていった

* It is an accepted practice to stand and read magazines and books in Japanese bookstores.

はやく
はやく

だめだ
とてもおいつか
ないわ

おやつは？

手をあらった？

足_{あし}はふいた？

He pulls out...

引ぬいた……

...a giant radish...

大根でみちを

えき

...and gives directions with it!

おしえられ

ごくろうさま

対訳 サザエさん ④
The Wonderful World of Sazae-san

1997年 8月20日　第1刷発行

著　者　　長谷川町子

訳　者　　ジュールス・ヤング／ドミニック・ヤング

編集協力　株式会社 C・A・L

発行者　　野間佐和子

発行所　　講談社インターナショナル株式会社
　　　　　〒112　東京都文京区音羽 1-17-14
　　　　　　　電話：03-3944-6493（編集）
　　　　　　　　　　03-3944-6492（営業）

印刷・製本所　川口印刷工業株式会社

ISBN 4-7700-2149-6